Mis agradecimientos al Centre national du livre
por su generosa ayuda.
J. D.

© 2005, Editorial Corimbo por la edición en español
Ronda del General Mitre 95, 08022 Barcelona
e-mail: corimbo@corimbo.es
www.corimbo.es
Traducción al español: Julia Vinent
1ª edición junio 2005
© 2005, l'école des loisirs, París
Título de la edición original: « Kodiak, l'ourson »
Impreso en Francia por Clerc à Saint-Amand-Montrond
ISBN: 84-8470-207-3

Jacqueline Delaunay

KODIAK

Corimbo

Esta mañana el aire ya es primaveral y, por primera vez, dos oseznos salen de su guarida.
Se llaman Kodiak y Ouyak. Hubieran preferido quedarse dentro, pero su madre les empujó al exterior.

Sabe que ha llegado el momento, pero permanece atenta vigilando los alrededores.
Kodiak y Ouyak encuentran que la nieve es una cosa extraña, muy diferente de su nido de helechos.

En su primer paseo lejos de la guarida, la madre lleva a Kodiak y a su hermano junto al torrente. Allí descubren por primera vez el miedo.
Un enorme oso negro surge de repente en medio de los remolinos de espuma.

Parece querer atacar. La madre, enloquecida por la furia, emite un terrible gruñido enseñando sus afilados colmillos. Enormes chorros de baba le cuelgan del morro. Carga contra el oso negro con tal ferocidad que éste se aleja asustado y vencido.

Para recuperarse de sus emociones, la osa lleva a sus pequeños al corazón del bosque. Kodiak corre hacia su madre para mamar. Está hambriento.

Su hermano, agotado, se duerme sin comer.

Cuando los oseznos se despiertan, han olvidado el incidente. El sol se filtra entre las ramas de los árboles. Kodiak tiene ganas de jugar. Ha encontrado un charco y se zambulle en él.

Ouyak prefiere chuparse tranquilamente el pie. Es menos aventurero que su hermano. Mientras tanto, la madre descansa sobre el musgo. Pero no olvida nunca el peligro y duerme con un ojo abierto.

Cae la noche y la osa decide regresar a la cima de la montaña. Prefiere evitar los márgenes del torrente.
Todavía queda un largo camino para Kodiak y su hermano. La siguen a duras penas.

Su madre tiene que reñirles para que avancen. Pero poco a poco van reconociendo el camino
que recorrieron por la mañana y eso les anima. Saben que pronto estarán en lugar seguro.

Ya están fuera de peligro. Kodiak y Ouyak aprenden a desenterrar suculentos bulbos con sus garras.

Es la primera vez que comen solos. Nadie les molesta. Disfrutan durante horas a la luz de la luna.

Justo antes del alba, los tres descienden hasta la orilla del lago, en el fondo del valle. De repente la osa se levanta sobre sus patas traseras. Ha visto un águila planeando sobre el agua. Se acerca.

Kodiak y su hermano se acurrucan el uno contra el otro, sintiendo la inquietud de su madre.
El águila vuelve a sobrevolar sobre ellos y después, afortunadamente, decide marcharse.

Han pasado casi dos años. Kodiak ha crecido mucho y ahora camina solo junto a su madre. Un día, Ouyak se alejó mucho y se perdió. Kodiak y su madre encontraron su cuerpo sin vida en la nieve.

Esta mañana, la madre de Kodiak se comporta de manera extraña. Acaba de descubrir el cadáver de un caribú, pero no deja que su hijo lo toque. Gruñe cuando lo ve acercarse, y devora sola los restos del animal.

Ahora se aleja cada vez más rápido hacia la cima de la montaña.
Es más rápida que Kodiak y a éste le cuesta mucho seguirla. No entiende lo que pasa.

Corre con todas sus fuerzas para alcanzar a su madre, pero de repente ésta se revuelve contra él con un terrible gruñido. Lo intimida con la mirada y Kodiak decide no moverse. Bruscamente, la madre le ataca. Kodiak esquiva un violento zarpazo y se aleja desesperado.

Los siguientes días Kodiak pasa todo el tiempo intentando acercarse a su madre.
Pero sabe que si se acerca mucho le atacará porque ahora es demasiado grande para vivir con ella.

Kodiak la vigila durante horas, emitiendo pequeños gemidos.
Se siente muy solo. Es el momento más difícil de su vida.

Una noche, la madre de Kodiak se va definitivamente. No la vuelve a ver.
Poco a poco descubre el placer de la vida solitaria.

Disfruta de la miel de las abejas, sabe dónde encontrarla.
Le encanta, sobre todo, bañarse en las frías aguas del lago.

El verano ha llegado. Kodiak parte hacia el gran río para pescar deliciosos salmones.

Es libre y está preparado para atravesar las montañas. Su vida de oso empieza.

El oso Kodiak (*Ursus arctos middendorffi*) es el carnívoro terrestre más grande.

Es una variedad del oso marrón que vive en Alaska. Su nombre viene de la isla de Kodiak, una de las islas del golfo de Alaska.

Cerca de 3.000 osos Kodiak viven en la isla, donde se ha creado una reserva natural para protegerlos.

El oso Kodiak empieza a reproducirse alrededor de los cinco o seis años.

Las camadas son de uno a tres oseznos. La madre los cuidará hasta la edad de dos a cuatro años.

Los ejemplares grandes sobrepasan los tres metros de altura y pesan una tonelada y media.

La vida media del oso Kodiak es generalmente de veinte años, pero algunos pueden llegar a los treinta.

He realizado este álbum con 253 lápices de colores «Derwent Studio»
sobre papel 100% puro algodón «Aquarelle Arches» de 300 gramos.
Cada dibujo representa una media de dos meses de trabajo.
Antes de poner color, hago un dibujo a lápiz como el de esta página.

J. D.